## Welcome to the Jungle

This is a work of fiction. Names, characters, places, and incidents either are the product of the author's imagination or are used fictitiously. Any resemblance to actual persons, living or dead, events, or locales is entirely coincidental.



*Book illustrations by Rishav Chatterjee*
*Edited by Dannet Dean Parchment*

ISBN 978-1-957643-00-7 Paperback
ISBN 978-1-957643-01-4 Hardcover
ISBN 978-1-957643-02-1 eBook

Library of Congress Control Number: 2022901782

*Published by Danidow Publishing LLC*

Danidow Publishing LLC
Myrtle Beach, SC
USA
www.danidowpublishing.com

# Di Jamiekan Alfabet

**a**
aki
ackee

**aa**
baal
ball

**ai**
laim
lime

**b**
baibl
bible

**ch**
chiita
cheetah

**d**
daag
dog

**e**
elifant
elephant

**f**
frag
frog

**g**
gorila
gorilla

**hn**
kyaahn
cannot

**i**
igwaana
iguana

**ie**
kiek
cake

**ii**
tii
tea

**j**
jiraaf
giraffe

**k**
kait
kite

**l**
layan
lion

**m**
mongki
monkey

**n**
nuoz
nose

**ng**
king
king

**o**
okro
okra

**ou**
kou
cow

**p**
panda
panda

**r**
ron
run

**s**
sniek
snake

**sh**
shaak
shark

**t**
taiga
tiger

**u**
uman
woman

**uo**
buot
boat

**uu**
shuuz
shoes

**v**
venda
vendor

**w**
waal
wall

**y**
yam
yam

**z**
zebra
zebra

**zh**
chrezha
treasure

a aa ai b ch d e
f g hn i ie ii j
k l m n ng o ou
p r s sh t u uo
uu v w y z zh

Waa Gwaan Jimi
Welkom to di Jonggl
A mi niem Gorila
Wid mi banaana bonggl

Waa Gwaan Jimi
Welcome to the Jungle
My name is Gorilla
With my banana bundle

Waa Gwaan Jimi
Nuh main di smeli fongk
Mi a di big chrang elifant
Jos a bied wid mi chrongk

Waa Gwaan Jimi
Do not mind the smelly funk
I am a big strong elephant
Just bathing with my trunk

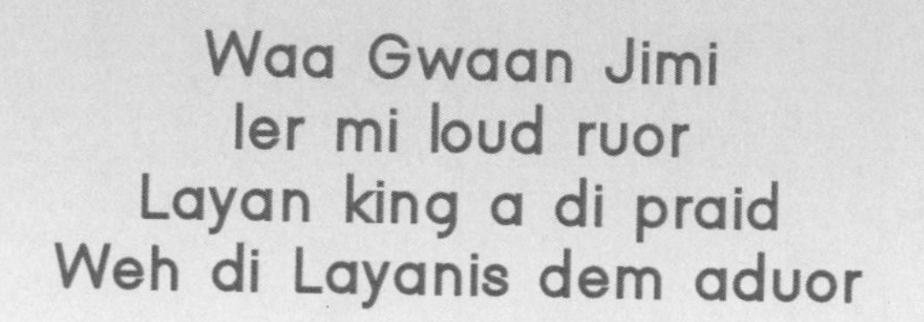

Waa Gwaan Jimi  
Ier mi loud ruor  
Layan king a di praid  
Weh di Layanis dem aduor

Waa Gwaan Jimi  
Hear my loud roar  
Lion King of the pride  
The one the lionesses adore

Waa Gwaan Jimi
A mi a di Jiraaf big an taal
Haya dan a Rastaman
Taala dan a ten-fut waal

Waa Gwaan Jimi
I am the giraffe big and tall
Higher than a Rastaman
Taller than a ten-foot wall

Waa Gwaan Jimi
Mi jos a mash dong som lonch
Jayant panda nyam Bambu graas
A mi fievrit ting fi monch

Waa Gwaan Jimi
I am just having some lunch
Giant pandas eat Bamboo grass
It is my favorite thing to munch

Waa Gwaan Jimi
Jomp laik a Kangaruu
Mi kip mi biebi iina mi pouch
Mi kyan kip yu in deh tuu

Waa Gwaan Jimi
Jump like a kangaroo
I keep my baby in my pouch
I can keep you there too

Waa Gwaan Jimi
Muuv slik laik a sniek
Swoerl an twoerl yu badi
Laik aisnin pah kiek

Waa Gwaan Jimi
Move slick like a snake
Swirl and twirl your body
Like the icing on a cake

Waa Gwaan Jimi
A mi a di frag fram ina di pan
Mi kyan liv ina waata
Mi kyan liv pah lan

Waa Gwaan Jimi
I am the frog in the pond,
I can live in water
And I can live on land

Waa Gwaan Jimi
A taim fi toch di skai
Fi spred mi Jangkro wing dem
Luk ou ai mi kyan flai

Waa Gwaan Jimi
It is time to touch the sky
To spread my Johncrow wings
Look how high I can fly

Waa Gwaan Jimi
Luk pon mi jayant web
Mi a di kriipi kraali spaida
Wid iet kriipi kraali leg

Waa Gwaan Jimi
Look at my giant web
I am the creepy-crawly spider
With eight creepy-crawly legs

Waa Gwaan Jimi
Mi tiit dem shaap laik naif
Dem elp mi ina di jonggl bush
A liv mi Taiga laif

Waa Gwaan Jimi
My teeth are sharp as a knife
They help me in the jungle forest
Living my tiger life

Waa Gwaan Jimi
Kech mi a swim ina di Nile
Mi swim op an dong di riva
Kaaz mi a wan krukodaihl

Waa Gwaan Jimi
Catch me swimming in the Nile
I swim up and down the river
Because I am a crocodile

Waa Gwaan Jimi
Deh yah a bied ina di son
Wid mi flofi hipo badi
Shiep laik piis a bon

Waa Gwaan Jimi
I am just bathing in the sun
With my fat hippo body
Shaped like a piece of bun

Likl muor Jimi
Neks taim wi riid agen
Di jonggl woz bier fon
Si yu lieta mi big fren.

See you later Jimi
Next time we will read again
The jungle was lots of fun
See you later my good friend.

The End

CPSIA information can be obtained
at www.ICGtesting.com
Printed in the USA
LVRC081009210422
716845LV00005B/65